BECHGYN AM BYTH!

Y Fferm

Felice Arena a Phil Kettle
Addasiad Helen Emanuel Davies

lluniau gan
Susy Boyer

Cyhoeddwyd gyntaf ym Mhrydain yn 2005
gan Rising Stars UK Ltd, 76 Farnaby Road, Bromley BR1 4BH
dan y teitl *On the Farm*

Cyhoeddwyd gyntaf yn Gymraeg yn 2010 gan
Wasg Gomer, Llandysul, Ceredigion, SA44 4JL.
www.gomer.co.uk

ⓑ testun: Felice Arena a Phil Kettle, 2004 ©
ⓑ lluniau: Susy Boyer, 2004 ©
ⓑ testun Cymraeg: APÁDGOS, 2010 ©

ISBN 978 1 84851 142 2

Noddwyd gan Lywodraeth Cynulliad Cymru.

Argraffwyd a rhwymwyd yng Nghymru gan
Wasg Gomer, Llandysul, Ceredigion.

BECHGYN AM BYTH!

Cynnwys

Twm   *Jac*

Allan i'r Wlad

I Twm a Jac, gwyliau'r ysgol yw adeg orau'r flwyddyn. Y tro hwn, mae'r ddau ffrind yn mynd i aros ar fferm laeth un o ffrindiau tad Twm. Mae mam Twm yn mynd â'r bechgyn allan i'r wlad yn y car – maen nhw'n eistedd yn y sedd gefn.

Twm Dw i'n edrych ymlaen yn ofnadwy!

Jac A fi. Diolch am ofyn i fi ddod. Mae hyn yn mynd i fod yn cŵl iawn. Dw i ddim wedi bod ar fferm o'r blaen. Pan fyddwn ni'n cyrraedd, ydyn ni'n mynd i fod yn ffermwyr?

Twm Ydyn, fwy neu lai, os byddwn ni'n ymddwyn fel Bil, ffrind Dad.

Jac Sut, felly?

Twm Wel, mae Bil yn mynd o gwmpas y lle â'i fodiau yn ffrynt ei drywsus.

Jac Wel, galla i wneud hynny.

Twm Ac mae'n rhaid cnoi darn o wellt ar yr un pryd.

Jac Dim problem!

Twm Hefyd, pan wyt ti'n ffermwr
mae llwyth o waith i'w wneud bob
amser.

Jac Fel beth?

Twm Wel, mae'n rhaid godro'r
gwartheg.

Jac Pam?

Twm Ym, ar ba blaned wyt ti'n byw?
I gael llaeth, wrth gwrs.

Jac Ond rwyt ti'n prynu llaeth o siop.

Twm Wyt, ond mae'r llaeth yn dod o'r gwartheg gynta.

Jac O, ro'n i'n meddwl 'u bod nhw'n gwneud llaeth mewn siopau.

Twm Wir? Wrth gwrs nad ydyn nhw!

Jac Dw i erioed wedi meddwl am y peth. Mae Mam yn ei arllwys allan o botel a dw i'n ei yfed. Hei, dyma ni wedi cyrraedd!

Gwartheg Pinc

Roedd y daith i'r fferm yn teimlo'n hir ofnadwy i Twm a Jac. Mae Bil yn eu croesawu nhw ac mae ganddo ddarn o wellt yn ei geg. Mae'n poeri'r gwellt allan ac yn dweud wrth y bechgyn eu bod nhw wedi dod ar amser da – jest mewn pryd i'w helpu i odro'r gwartheg. Mae Twm a Jac yn newid eu dillad ac yn gwisgo'r welingtons mae Bil wedi eu rhoi iddyn nhw.

Jac Wyt ti wedi godro buwch erioed?

Twm Ydw, dw i'n hen law ar y gwaith!

Jac Faint o wartheg wyt ti wedi'u godro?

Twm Wel, dim ond un. Ond roedd hi'n un anferth.

Jac Dim ond un? Dw i ddim yn meddwl fod hynna'n dy wneud di'n hen law.

Twm Dw i wedi gweld llawer o luniau
o bobl yn godro gwartheg hefyd.

Jac Hy! Dw i wedi gweld lluniau o
ddringwyr yn sefyll ar ben mynydd
Everest, ond dyw hynny ddim yn fy
ngwneud i'n ddringwr da.

Twm Wel, dw i'n gwbod mod i'n gallu
godro'n dda, ta beth.

Mae Bil yn mynd â'r bechgyn i'r parlwr godro. Mae'n dweud wrth gŵn y fferm fynd i nôl y gwartheg. I ffwrdd â'r cŵn ar ras i waelod y cae at y gwartheg. Maen nhw'n cyfarth arnyn nhw a'u gyrru tua'r parlwr godro.

Jac Mae cŵn fferm yn glyfar.

Twm Ydyn, ac maen nhw'n gweithio'n galed hefyd.

Jac Dw i'n meddwl bod pawb sy'n
byw ar fferm yn gorfod gweithio'n
galed iawn.

Mae Jac a Twm yn sefyll yn y parlwr
godro ac yn gwylio'r cŵn yn gyrru'r
gwartheg.

Twm Hei, edrych ar yr holl wartheg 'na! On'd ydyn nhw'n edrych yn wych? Rhaid bod dros hanner cant ohonyn nhw!

Jac Ac maen nhw i gyd yn lliwiau gwahanol!

Twm Ydyn. Brown, gwyn, du, du-a-gwyn, pob math!

Jac Ble mae'r rhai pinc?

Twm Beth? Dwyt ti ddim o ddifri?

Dyw Jac ddim yn ateb.

Twm Paid â dweud dy fod ti o ddifri!

Jac Wel, os nad oes gwartheg pinc,
o ble mae llaeth pinc yn dod?

Twm Ym, wel, o'r un lle â llaeth gwyn, wrth gwrs. Mae'n rhaid rhoi lliw pinc yn y llaeth, dyna'r cwbl.

Jac Wyt ti'n siŵr?

Twm Yn hollol siŵr. Dere, mae'n bryd i ni fod yn ffermwyr go iawn!

Amser Godro

Mae'r gwartheg yn cerdded yn
hamddenol i mewn i fuarth y fferm.
'Ar ôl i'r gwartheg fynd i mewn i'r
mannau godro, rhaid i chi olchi eu
cadair, yna gosod y cwpanau ar y
tethau,' meddai Bil wrth y bechgyn.

Twm Rwyt ti'n gwbod beth yw cadair buwch, wyt ti? Edrych o dani. Dyna beth yw hwnna!

Jac O. Ym, ydy gwartheg yn cnoi?

Twm Cnoi pobl? Nac ydyn. Cnoi glaswellt? Ydyn. Hei, gallen nhw feddwl mai glaswellt yw dy wallt di a'i gnoi.

Jac Wir? Falle dylwn i wisgo het.

Mae'r gwartheg yn dechrau mynd i mewn i'r mannau godro. Mae Bil yn dangos i'r bechgyn sut i olchi'r cadeiriau a sut i osod y cwpanau godro ar y tethau.

Twm Y tethau yw'r pethau sy'n
hongian o'r cadair. Maen nhw'n
edrych fel bysedd trwchus.
Jac Mae hyn yn od iawn!

Mae'r pwmp godro'n dechrau
gweithio, ac yn sydyn mae cymaint o
sŵn yn y parlwr godro nes bod yn
rhaid i'r bechgyn weiddi cyn gallu
clywed ei gilydd.

Jac Sut mae'r peiriant yn gweithio
'te?

Twm Mae'r peiriant yn sugno'r
llaeth o'r fuwch, yna mae'r llaeth
yn llifo trwy'r peipiau ac i mewn i'r
tanc mawr draw fan'na.

Jac Beth sy'n digwydd wedyn?

Twm Mae lorri fawr yn casglu'r llaeth i'w wneud yn barod i'w roi yn y siopau. Wyt ti'n barod i osod cwpanau ar rai o'r gwartheg?

Jac Ydw, dw i'n meddwl.

PENNOD 4

Pwy sy'n Hen Law?

Mae Jac a Twm yn gorffen golchi'r
cadeiriau â rhecsyn gwlyb, cynnes,
yna mae'n bryd gosod y cwpanau ar y
tethau. Mae'r ddau fachgen yn oedi.

Jac Gwell i ti ddangos i fi gynta sut
    mae gwneud, gan dy fod di'n hen law.

Twm Oes ofn arnat ti?

Jac Na! Dim ond eisiau bod yn siŵr
    mod i'n gwneud yn iawn, dyna'r cwbl.

Twm Reit. Symuda o'r ffordd. Gad i fi
    weld.

Mae Bil yn gweld nad yw'r bechgyn
yn siŵr beth i'w wneud ac mae'n
helpu Twm i osod y cwpanau ar
dethau un fuwch.

Twm Dyna fe, mae'n rhwydd!
Jac Ydy, iawn. Ond doeddet ti ddim
    yn gwbod beth i'w wneud tan i Bil
    ddod draw i ddangos i ti eto.

Twm Twt, rhaid 'i fod e wedi anghofio mod i'n hen law.

Jac Hen law, wir! Dw i ddim yn meddwl dy fod ti'n gwbod llawer mwy am ffermio nag ydw i!

Twm Wir? Pwy ofynnodd o ble mae llaeth yn dod? A ble oedd y gwartheg pinc? Cer o'r ffordd. Gei di weld. Dw i'n mynd i osod y rhain ar fy mhen fy hun.

Mae Twm yn mynd ar ei liniau ac yn gosod y cwpanau ar y fuwch. Mae'n gwenu wrtho'i hun.

Jac Dyna ti, fuwch fach, gobeithio nad ydyn nhw'n gwneud dolur i ti. Mae'n bryd i ti adael i dy llaeth lifo.

Twm Beth wyt ti'n wneud nawr?

Jac Siarad â'r fuwch – dweud wrthi
'i bod hi'n bryd iddi adael i'w llaeth
lifo.

Twm Mae hi'n siŵr o fod yn gwbod
hynny'n barod.

Mae'r bechgyn yn gwylio'r llaeth yn
llifo trwy'r pibau plastig clir.

25

Jac Pryd ydyn ni i fod i dynnu'r
cwpanau i ffwrdd?

Twm Pan wyt ti'n gweld bod y llaeth
wedi stopio llifo trwy'r peipiau.

Jac Ew, mae'n rhaid i ti fod yn
glyfar i fod yn ffermwr. Hei, beth
mae hon yn wneud nawr? Pam
mae hi'n codi'i chynffon?

Twm (yn chwerthin) Ym, cer yn nes
ac fe gei di weld.

Dom!

Wrth i Jac gymryd cam yn nes ati,
mae'r fuwch yn rhoi fflic i'w chynffon
ac mae llif o ddom yn saethu o'i
phen-ôl i'r llawr fel dŵr o beipen.
Mae peth ohono'n tasgu i mewn i
welingtons Jac. Daw golwg o arswyd
ar wyneb Jac ac mae e'n teimlo fel
chwydu. Mae Twm a Bil yn
chwerthin nes eu bod nhw'n sâl.

Jac Ych a fi! Dyw hynna ddim yn
ddoniol!

Twm (yn dal i chwerthin) Ydy, mae
e! Ddylet ti weld dy wyneb di!

Jac Edrych! Mae e dros y lle ym
mhobman! Tybed allwn ni ei gasglu
a'i werthu i bobl i'w ddefnyddio yn
eu gerddi? Mae dom yn gwneud i
blanhigion dyfu, on'd yw e?

Twm Ydy, ond 'gwrtaith' maen nhw'n ei alw, nid 'dom'! Hei, gan dy fod ti'n sefyll ynddo fe, falle byddi di'n tyfu'n dal!

Jac Ie, ond dim mewn yn un welington mae e. Os yw e'n gweithio'n dda bydd gen i un goes yn hirach na'r llall!

Erbyn hyn, mae Jac yn gweld y jôc ac mae'n chwerthin gyda Twm.

Twm Wyt ti eisiau i fi lenwi'r welington arall hefyd?

Jac Iawn, wedyn falle bydda i'n tyfu'n dal iawn.

Mae Jac yn tynnu ei welington i ffwrdd ac yn ei lanhau. Mae Bil yn diolch i'r bechgyn am helpu ac yna maen nhw'n cerdded drwy'r cae i'r ffermdy, ar eu ffordd i gael rhywbeth i fwyta.

Jac Hei, dyna od. Edrych! Mae Bil
wedi anghofio godro un fuwch. Ew,
mae hi'n anferth, ac mae hi'n rhedeg
tuag aton ni. Twm? Twm?

Twm (yn gweiddi) Rhed, Jac! Nerth dy
draed! Tarw yw hwnna, nid buwch,
ac mae e'n dod amdanon ni!

Mae Jac a Twm yn rhuthro am y
ffens. Dim ond newydd neidio drosto
maen nhw cyn i'r tarw gyrraedd.

Jac (allan o wynt) Ew! Roedd hi
bron ar ben arnon ni. Ffantastig!
Mae bod ar fferm yn wych.

Twm Ym . . . Wyt ti'n meddwl?

Mae Twm yn gweld ei fod wedi glanio
mewn pwll o ddom, ac mae'r dom
dros ei jîns i gyd. Mae'r ddau
fachgen yn pwffian chwerthin.

Twm

BECHGYN AM BYTH!
Geiriau Gorau y Fferm

Jac

ci fferm Ci sy'n byw ar fferm. Mae ci fferm yn helpu i nôl y gwartheg a'r defaid.

gwair Porfa neu laswellt sydd wedi tyfu mewn cae. Mae'n cael ei dorri a'i adael i sychu. Yna mae'r gwellt yn cael ei gasglu'n fyrnau sy'n cael eu gosod mewn pentwr.

parlwr godro Lle mae gwartheg yn cael eu godro. Weithiau mae'n cael ei alw'n sied odro.

cadair Y rhan o'r fuwch sy'n cynhyrchu llaeth. Mae'n edrych fel bag yn hongian o dan y fuwch. Enwau eraill ar y cadair yw'r 'pwrs' neu'r 'piw'.

tethau Mae'r rhain yn dod allan o biw y fuwch. Maen nhw'n edrych fel bysedd tew.

BECHGYN AM BYTH!

Pethau Pwysig y Fferm

☞ Cadwch eich ceg ar gau wrth gerdded yn y caeau – neu gallech chi lyncu pryfyn.

☞ Rhaid gadael gatiau fferm fel rydych chi'n dod ar eu traws nhw. Os ydych chi'n eu gadael ar agor pan oedden nhw ar gau, bydd y gwartheg yn gallu dianc allan o'r caeau.

☞ Mae canu yn y parlwr godro yn gwneud y gwartheg yn hapus iawn ac yn eu helpu i roi mwy o laeth.

☞ Cofiwch drin ci fferm yn garedig bob amser – mae'n un o'r gweithwyr mwyaf caled ar y fferm.

☞ Cofiwch wisgo het haul wrth weithio allan yn y caeau. Rhaid bod yr un mor ofalus o'r haul yn y wlad ag ar y traeth.

☞ Gofalwch archwilio'r ffensys bob amser i wneud yn siŵr nad oes tyllau ynddyn nhw. Os oes, rhaid eu trwsio nhw ar unwaith, neu fydd dim anifeiliaid ar ôl ar y fferm.

☞ Rhaid trin anifeiliaid fferm yn garedig bob amser.

Ffeithiau Ffynci

 Llo yw enw babi buwch.

 Gwaith cath ar fferm yw dal llygod.

 Rhaid godro'r gwartheg yn y bore a'r pnawn.

 Er mwyn cynhyrchu llaeth, mae'n rhaid i fuwch gael llo bob blwyddyn.

 Dim ond am 48 awr mae llo yn aros gyda'i fam.

 Mae gan fuwch bedwar stumog.

Mae angen 22 litr o laeth ar gyfer gwneud 1 cilogram o fenyn.

 Cynnyrch llaeth yw'r enw ar fwydydd fel caws, menyn, iogwrt a hufen, sydd wedi eu gwneud o laeth.

 Wrth i wartheg gael eu godro, mae cwpanau arbennig yn cael eu gosod ar eu tethau. Mae'r cwpanau'n gwasgu'r tethau'n ysgafn, yn union fel y mae llo'n ei wneud, er mwyn sugno'r llaeth o'r fuwch.

 Mae buwch fel arfer yn rhoi tua 15 litr o laeth bob dydd.

BECHGYN AM BYTH!

Holi am Hwyl

1 Os mai buwch yw'r fenyw, beth yw'r gwryw?

2 Ydy gwartheg i gyd yr un lliw?

3 Ydych chi'n meddwl y byddai gwartheg yn mwynhau bwyta pasteiod cig?

4 Beth yw'r enw ar grŵp o wartheg?

5 Sawl stumog sydd gan fuwch?

6 Sawl gwaith y dydd y mae angen godro buwch?

7 Ydy pryfed yn hoffi byw ar ffermydd?

8 Pam y dylech chi wisgo welingtons wrth gerdded o gwmpas fferm?

8 Dylech chi wisgo welingtons rhag ofn i chi sefyll mewn dom.

7 Mae pryfed wrth eu bodd yn byw ar ffermydd.

6 Mae angen godro buwch ddwywaith y dydd.

5 Mae gan fuwch bedair stumog.

4 Gwr yw'r enw ar grŵp o wartheg.

3 Na. Dyw gwartheg ddim yn bwyta cig.

2 Na. Mae llawer o liwiau gwahanol ar wartheg – ond dyw pinc ddim yn un ohonyn nhw!

1 Tarw yw'r gwryw.

Beth oedd eich sgôr?

- Os cawsoch chi 8 ateb cywir, byddech chi'n dda iawn ar fferm. Rydych chi'n ffermwr naturiol!

- Os cawsoch chi 6 ateb cywir, rydych chi'n ddigon hapus i wisgo welingtons a gwneud ychydig bach o waith ar fferm.

- Os cawsoch chi lai na 4 ateb cywir, y peth gorau i chi ei wneud ar fferm yw bwydo'r ieir.

Felice →   ← Phil

Haia Fechgyn!

Rydyn ni'n cael llawer o hwyl yn darllen, a hoffen ni i chi gael yr un hwyl hefyd. Yn ein barn ni'n dau mae hi'n bwysig iawn gallu darllen yn dda ac mae'n cûl iawn hefyd.

Dyma rai pethau y gallwch chi eu gwneud i'ch helpu i gael hwyl wrth ddarllen.

Yn yr ysgol, beth am ddefnyddio 'AR Y FFERM' fel drama gyda chi a'ch ffrindiau'n actorion. Rhaid i chi osod cefndir y ddrama. Dychmygwch eich bod chi ar fferm yn galw'r gwartheg i gael eu godro. Falle bod un fuwch yn gwrthod mynd i mewn i'w man godro a rhaid i chi feddwl am ffordd o'i chael i mewn.

Reit . . . ydych chi wedi penderfynu pwy fydd Twm a phwy fydd Jac? Wedyn, gyda'ch ffrindiau, ewch ati i ddarllen ac actio'r stori o flaen y dosbarth.

Rydyn ni'n cael llawer o hwyl pan ydyn ni'n mynd i ysgolion i ddarllen ein straeon. Ar ôl i ni orffen mae'r plant i gyd yn curo dwylo'n uchel iawn. Pan fyddwch chi wedi gorffen actio'ch drama bydd gweddill y dosbarth yn curo dwylo'n uchel i chi hefyd. Cofiwch gymryd cip allan drwy'r ffenest – rhag ofn bod sgowt o sianel deledu'n eich gwylio!

Mae darllen gartref yn bwysig iawn hefyd, ac mae'n llawer o hwyl.

Ewch â'n llyfrau ni adre a gofynnwch i aelod o'r teulu eu darllen gyda chi. Efallai y gallan nhw actio rhan un o'r cymeriadau yn y stori.

Cofiwch, mae darllen yn llawer o hwyl.

Fel dwedodd y pry llyfr . . . mae blas ar lyfr!

A chofiwch . . . Bechgyn am Byth!

Pan Oedden Ni'n Blant

Felice

Phil

Phil Wyt ti erioed wedi godro buwch?

Felice Naddo, ond dw i'n yfed llawer
o laeth! Wyt ti erioed wedi godro
buwch?

Phil Do, dw i wedi godro cannoedd.
Mae gen i ewyrth sy'n ffermwr ac
ro'n i'n arfer treulio fy ngwyliau
ysgol yn gweithio ar y fferm.

Felice Wyt ti wedi cael dom yn dy
welingtons erioed?

Phil Do, lawer gwaith! Ac ar hyd fy
nghoesau hefyd!

Felice Oedd e wedi gwneud i ti dyfu'n
dalach?

Phil Dw i ddim yn siŵr, ond roedd y
pryfed wrth eu bodd!

BECHGYN AM BYTH!

Jôc!

C Pam roedd y ffermwr yn aredig ei fferm â stêm-roler?

A Roedd e eisiau tyfu tatws stwnsh.

BECHGYN AM BYTH!

BECHGYN AM BYTH!
Rebels Ceir Rasio
Felice Arena • Phil Kettle
lluniau gan BETTINA GUTHRIDGE

BECHGYN AM BYTH!
Bois y Beics
Felice Arena • Phil Kettle
lluniau gan DAVID COX

BECHGYN AM BYTH!
Dal y don
Felice Arena • Phil Kettle
lluniau gan MITCH VANE

BECHGYN AM BYTH!
Dinas Dŵr
Felice Arena • Phil Kettle
lluniau gan MITCH VANE

BECHGYN AM BYTH!
Diwrnod Ysgol Ofnadwy
Felice Arena • Phil Kettle
lluniau gan MITCH VANE

BECHGYN AM BYTH!
Y Dyn Eira Drwg
Felice Arena • Phil Kettle
lluniau gan SUSY BOYER

BECHGYN AM BYTH!
Gwersylla
Felice Arena • Phil Kettle
lluniau gan DAVID COX

BECHGYN AM BYTH!
Hela Llygod
Felice Arena • Phil Kettle
DAVID COX

BECHGYN AM BYTH!
Sglefrfyrddio
Felice Arena • Phil Kettle
lluniau gan DAVID COX